19.95
D0265066
PROPERTY OF
St. Lawrence School

551.4
WAT

19.95

PROPERTY OF:
St. Lawrence School

LE SAINT-LAURENT

Julia Waterlow - Denis-Paul Mawet

Photographies de Laurence Fordyce

Version française révisée par Marcel Fortin

Éditions Gamma - Les Éditions École Active

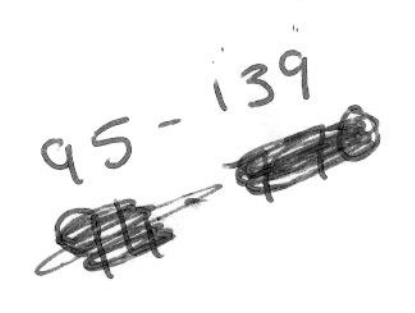

1200139

Couverture
Le Saint-Laurent vu depuis la ville de Québec

L'édition originale de cet ouvrage a paru sous le titre: *The St Lawrence*
Copyright © Wayland Publishers Ltd, 1994
61 Western Road, Hove
East Sussex, BN3 1JD, Angleterre
All rights reserved

Adaptation française de Denis-Paul Mawet
Copyright © Éditions Gamma, Paris-Tournai 1995
D/1995/0195/6
ISBN 2-7130-1725-4
(édition originale: ISBN 0-7502-1259-4)

Exclusivité au Canada:
Les Éditions École Active
2244, rue de Rouen, Montréal H2K 1L5
Dépôts légaux, 1er trimestre 1995
Bibliothèque nationale du Québec
Bibliothèque nationale du Canada
ISBN 2-89069-479-8

Loi n° 49-756 du 16 juillet 1949
sur les publications destinées à la jeunesse

Imprimé et relié en Italie par G. Canale C.S.p.A.

L'auteur, *Julia Waterlow*, est membre de la *Royal Geographical Society*. En outre, elle est écrivain et photographe et a rédigé de nombreux ouvrages de géographie pour les enfants. Elle est également l'auteur des ouvrages *L'Amazone*, *Le Nil*, *Le fleuve Jaune* et *La Seine* dans cette même collection.

Le conseiller, *Dr Anthony Binns*, est professeur de géographie à l'université du Sussex, et est actuellement vice-président adjoint de la *Geographical Association*.

Sommaire

1. Au cœur d'un continent

Le Saint-Laurent prend naissance au cœur de l'Amérique du Nord et se jette dans l'océan Atlantique. Le fleuve permet aux bateaux de transporter marchandises et passagers depuis la mer jusqu'au centre du continent. Durant les trois cent cinquante dernières années, cette voie fluviale a joué un rôle d'une importance vitale pour l'ouverture et le développement de l'Amérique du Nord, en particulier du Canada.

Le Saint-Laurent est alimenté par les eaux des Grands Lacs, cinq lacs énormes, presque aussi grands que des mers, contenant à eux seuls un cinquième de l'eau douce de la surface terrestre. En remontant le Saint-Laurent et en traversant ces lacs, les bateaux de haute mer peuvent pénétrer jusqu'à 3 750 km à l'intérieur des terres. Cela n'est possible que depuis 35 ans, grâce à la construction de la voie maritime du Saint-Laurent. Les premiers explorateurs du continent furent confrontés à des rapides et à des chutes qui leur barraient la route. Les canaux et les écluses permettent désormais de contourner ces obstacles.

La frontière entre le Canada et les États-Unis longe une partie du cours du Saint-Laurent et traverse les Grands Lacs. Durant les quatre derniers siècles, des millions de personnes venant d'Europe ou d'autres continents sont venues s'installer dans ces régions. En raison des nombreuses ressources naturelles que l'on trouve le long du Saint-Laurent et autour des Grands Lacs, c'est une des zones les plus peuplées et les plus industrialisées du continent nord-américain, sinon du monde. Par conséquent, le Saint-Laurent et les Grands Lacs sont fortement perturbés car ils fournissent l'eau aux habitations et aux usines, sont devenus des autoroutes, servent aux loisirs et aux sports, et sont un habitat pour la faune de la région. On les utilise aussi comme déversoirs pour les déchets d'origine humaine.

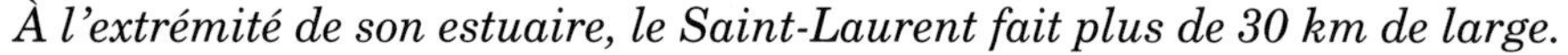

À l'extrémité de son estuaire, le Saint-Laurent fait plus de 30 km de large.

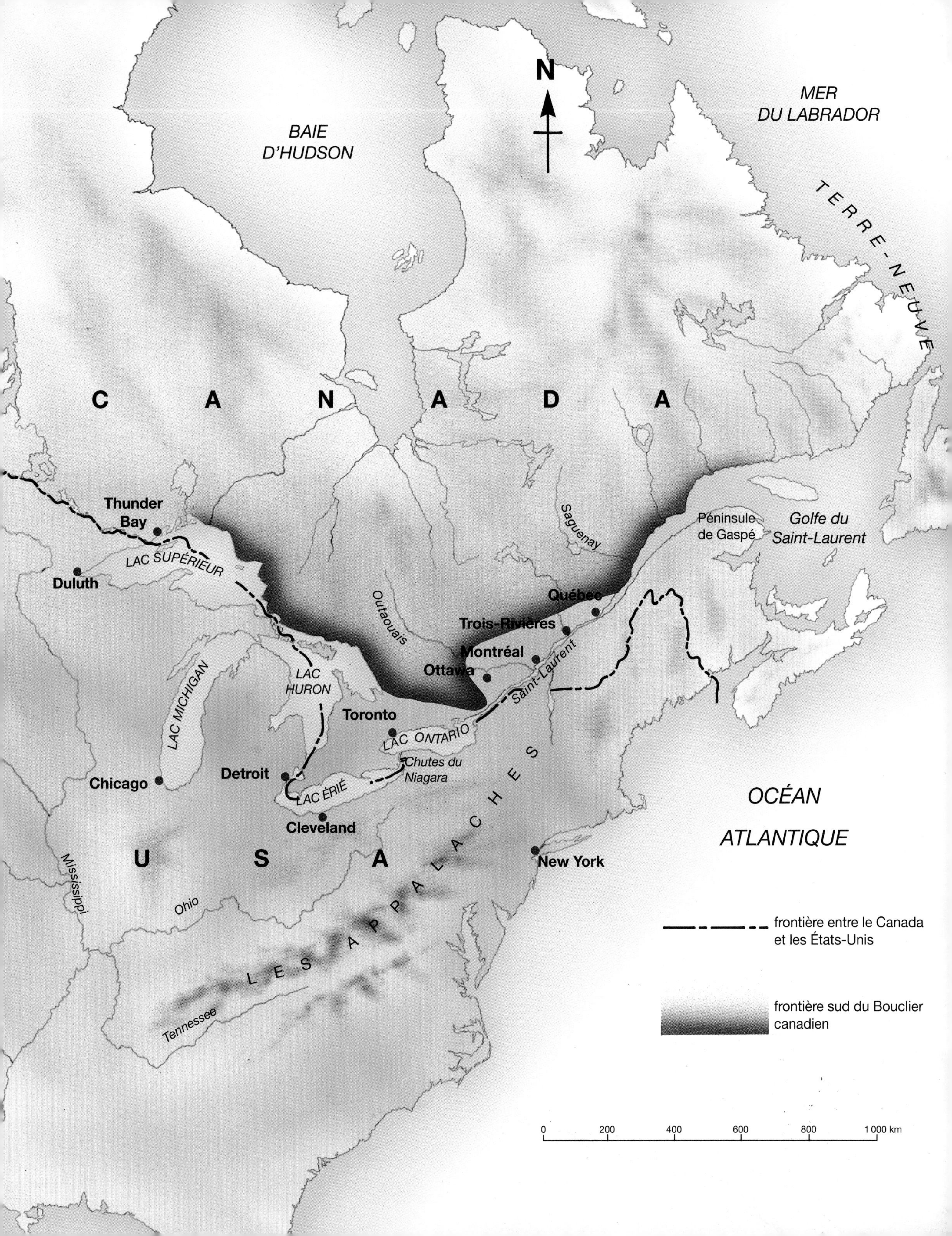

N
BAIE D'HUDSON
MER DU LABRADOR
TERRE-NEUVE
C A N A D A
Thunder Bay
Duluth
LAC SUPÉRIEUR
Saguenay
Péninsule de Gaspé
Golfe du Saint-Laurent
Québec
Trois-Rivières
Outaouais
Montréal
Ottawa
Saint-Laurent
LAC HURON
LAC MICHIGAN
Toronto
LAC ONTARIO
Chutes du Niagara
Detroit
Chicago
LAC ÉRIÉ
Cleveland
OCÉAN ATLANTIQUE
U S A
New York
Mississippi
Ohio
LES APPALACHES
Tennessee
frontière entre le Canada et les États-Unis
frontière sud du Bouclier canadien
0
200
400
600
800
1 000 km

2. Le fleuve et ses rives

Le cours du fleuve

Contrairement à la plupart des grands fleuves, le Saint-Laurent ne naît pas sous la forme d'un petit cours d'eau de haute montagne, mais bien comme une grande rivière s'écoulant de l'important bassin d'eau constitué par les cinq Grands Lacs. La source officielle du Saint-Laurent se situe à sa sortie du lac Ontario. À cet endroit, il se trouve à 75 m au-dessus du niveau de la mer et devra parcourir 1 290 km en direction du nord-est avant d'atteindre son embouchure dans le golfe du Saint-Laurent.

Dans la première partie de son parcours, le Saint-Laurent se divise en de nombreux bras entourant de jolies îles. La région a reçu le nom de Mille-Îles (même si, à l'heure actuelle, on en dénombre près de 2 000). Tout le long de ce morceau du fleuve en amont de la ville de Montréal, des rapides rendaient autrefois la navigation difficile, barrant la route aux premiers explorateurs. En atteignant Montréal, le Saint-Laurent est rejoint par la rivière des Outaouais, l'un de ses nombreux affluents.

Des milliers d'îles parsèment le Saint-Laurent au début de son cours, à la sortie des Grands Lacs ; cette région s'appelle les Mille-Îles.

Le pont de Trois-Rivières est l'un des rares ponts routiers enjambant le Saint-Laurent en aval de Montréal.

À des centaines de kilomètres de la mer, près de la ville de Trois-Rivières, le Saint-Laurent subit les effets de la marée (les effets des marées quotidiennes peuvent être ressentis : le fleuve monte et descend). Ce n'est qu'un peu plus en aval que le fleuve s'élargit. Alors qu'il fait à peine 1 500 m de large près de Québec, ses rives s'écartent tellement qu'il devient difficile d'apercevoir la rive opposée.

Les rives sont alors plus abruptes et sauvages ; le Saguenay, rivière encaissée, rejoint le Saint-Laurent. Petit à petit, le Saint-Laurent s'élargit pour former le golfe du même nom. Le Rocher Percé, qui se dresse hors de la mer à l'extrémité de la péninsule de Gaspé, marque la fin du fleuve. Cette région sauvage et battue par les vents est parsemée de falaises, de plages et de criques. Au-delà, le golfe du Saint-Laurent, barré par l'île rocheuse de Terre-Neuve, s'ouvre largement sur l'océan Atlantique.

Coupe transversale des Grands Lacs et du Saint-Laurent, du lac Supérieur à l'Atlantique

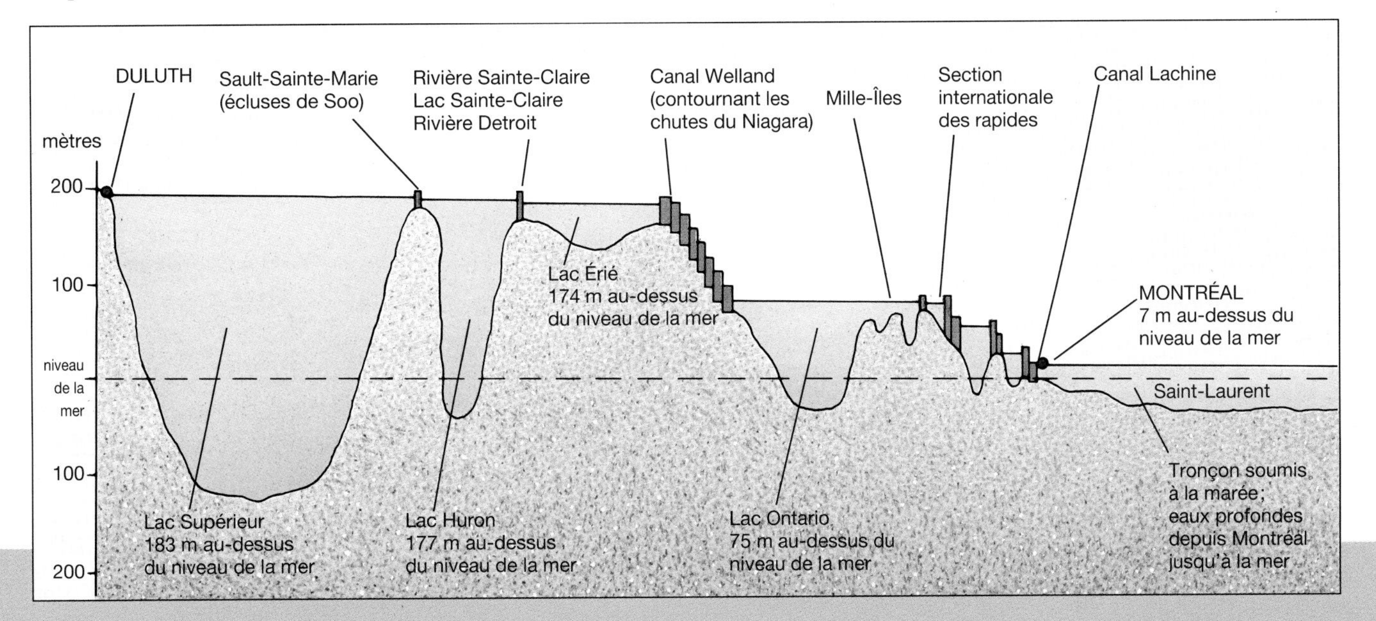

Le Rocher Percé se dresse à l'extrémité nord de la péninsule de Gaspé, dont les côtes sont parsemées de criques et de falaises. C'est ici que se situe la limite entre le Saint-Laurent et le golfe du Saint-Laurent.

Les Grands Lacs

Le Saint-Laurent et les Grands Lacs qui l'approvisionnent ont toujours été d'une importance complémentaire. Ils sont encore plus interdépendants depuis la construction de la voie maritime du Saint-Laurent qui permet le passage de grands bateaux. Les Grands Lacs constituent la plus grande superficie d'eau douce au monde : le plus grand, le lac Supérieur, fait plus de 550 km de long et s'étend sur une région deux fois plus grande que la Suisse. À l'exception du lac Érié, ces lacs sont tous très profonds, leur fond se situant bien en dessous du niveau de la mer (voir le schéma page 7).

Le passage de l'eau d'un lac à un autre s'effectue toujours au travers d'un obstacle d'une espèce ou d'une autre : un canal étroit, des rapides ou encore des chutes d'eau. C'est entre le lac Érié et le lac Ontario que se trouve la plus grande différence de niveau. Ces deux lacs sont reliés par la rivière Niagara, parsemée de rapides, qui retombe brusquement de 60 m en passant par-dessus une barre rocheuse avant de se déverser dans le lac Ontario.

L'action des glaces

Les forces mises en jeu par la nature pour créer les bassins remplis d'eau que nous appelons les Grands Lacs ont dû être formidables. Ces lacs se sont formés durant la dernière glaciation qui a duré plusieurs milliers d'années. La glace du pôle Nord s'est étendue vers le sud, formant un épais manteau sur l'Amérique du Nord jusqu'au sud des Grands Lacs actuels.

La glace étant très dure, elle peut, en se déplaçant, écraser et émietter la roche. Dans le nord de l'Amérique, au cours des millénaires, la glace a creusé de profonds bassins là où la roche était la plus tendre. Lorsque le climat se réchauffa et que la glace se retira (la glace a disparu de l'Amérique du Nord il y a environ 10 000 ans), celle-ci laissa derrière elle de grandes quantités d'eau de fonte. Au même moment, la terre commença à se soulever lentement. La mer d'eau de fonte s'écoula le long d'une faille formant un fleuve, le Saint-Laurent. L'eau des Grands Lacs demeura prisonnière des profonds bassins.

Les forêts
La forêt canadienne se divise en trois zones : la forêt boréale, constituée de conifères pouvant résister au froid du Grand Nord (épinettes, pins et sapins), une forêt mixte de conifères et de feuillus et une forêt de feuillus autour de la vallée du Saint-Laurent (érables, bouleaux et hêtres). La région des Grands Lacs et du Saint-Laurent abritait autrefois l'une des plus belles forêts mixtes de conifères et de feuillus du monde. Elle fut en grande partie détruite au 19e siècle par les colons européens.

Les chutes dites du Fer-à-Cheval, la partie la plus impressionnante des chutes du Niagara

De vastes forêts s'étendent sur tout le Bouclier canadien, au nord du Saint-Laurent.

Le paysage et le climat

Le Saint-Laurent est pris en sandwich entre les Appalaches et le Bouclier canadien qui s'étend sur la plus grande partie du nord du Canada jusqu'à la baie d'Hudson. Le Bouclier canadien est formé de roche très dure et très ancienne, tellement usée et érodée par les glaces durant la dernière glaciation qu'il est parsemé de milliers de petits lacs et presque dénudé par endroits. On y trouve des forêts, ainsi que des zones marécageuses appelées *muskeg*.

Le Bouclier canadien longe la plus grande partie de la rive nord du Saint-Laurent. Les basses terres du Saint-Laurent constituent les meilleures terres agricoles du Canada et abritent la majorité des villes et de la population du pays. Dans la province du Québec, il s'agit d'une étroite bande de terre située le long du Saint-Laurent, s'élargissant à l'approche du lac Ontario.

Les glaces qui ont dénudé le Bouclier canadien ont, au contraire, déposé de la vase et de la terre à leur périphérie. Cette riche couche a facilité la croissance des plantes; la région était d'ailleurs autrefois couverte de forêts. Ce sont maintenant de bonnes terres agricoles.

Le climat de la région influence fortement la manière de vivre des habitants et la façon de cultiver la terre. Les hivers sont rudes et, à cause du vent mordant provenant de l'Arctique, les températures sont glaciales; la partie septentrionale du Saint-Laurent gèle durant des mois. Il y a d'importantes chutes de neige chaque année. Malgré cela, les étés sont

À droite *Au Québec, les terres agricoles sont découpées en bandes descendant vers le fleuve. Cette organisation a été adoptée par les premiers colons français, car elle permettait à chacun d'avoir accès au fleuve.*

Ci-dessous *L'hiver peut être extrêmement rigoureux, comme le montre cette photo du lac Ontario. Le lac est gelé et recouvert d'une couche de glace de 50 cm d'épaisseur.*

suffisamment chauds pour qu'il soit agréable de nager dans les lacs et les rivières.

Le climat autour des Grands Lacs est affecté par les lacs eux-mêmes ; ceux-ci sont si étendus qu'ils influencent la température, tout comme le fait la mer, et maintiennent une température plus élevée en hiver. En effet, l'eau ne se refroidit pas aussi vite que la terre et retient une partie de la chaleur emmagasinée en été. Même ainsi, la température des lacs descend en dessous de zéro en hiver, et la neige tombe abondamment.

Quelques données
Longueur : 1 290 km environ
Distance du lac Ontario à l'extrémité de la péninsule de Gaspé : 1 167 km
Les lacs : Supérieur, Michigan, Huron, Érié et Ontario. Seul le lac Michigan se trouve entièrement sur le territoire des États-Unis, les autres sont à cheval sur la frontière américano-canadienne.
Bassin hydrographique des Grands Lacs et du Saint-Laurent : 1 760 000 km^2 (trois fois la superficie de la France)
Superficie des Grands Lacs : 245 000 km^2 (presque deux fois la superficie de l'Angleterre)

3. L'ouverture de l'intérieur des terres

Les premiers habitants

Au cours de la dernière glaciation, les températures étaient si basses que la mer était gelée entre la Sibérie (en Asie) et l'Alaska (la région située à l'extrême nord-ouest de l'Amérique). Il y a environ 30 000 ans, des peuplades asiatiques commencèrent à émigrer vers l'Amérique, dans laquelle elles se répandirent. La plupart étaient nomades et vivaient de la chasse.

Ces Amérindiens, ou Indiens comme les appelèrent les Européens, se rassemblèrent en tribus qui vivaient dans diverses parties du continent, développant chacune sa propre culture et ses propres croyances. Certaines tribus vivaient de la chasse, d'autres de la pêche. Celles qui s'installèrent dans les grandes plaines à l'ouest des Grands Lacs (dans les prairies) vivaient de la chasse au bison.

Beaucoup de tribus habitaient près des Grands Lacs et du Saint-Laurent, et certaines s'installèrent dans la vallée du fleuve pour la cultiver. Elles vécurent ainsi jusqu'à l'arrivée des Européens.

Cette carte du 16e siècle illustre l'arrivée de Jacques Cartier au Canada. Les cartes de l'époque étaient inversées par rapport à celles d'aujourd'hui : la grande île à gauche est l'île de Terre-Neuve.

Sur cette vieille peinture représentant un comptoir commercial géré par la Compagnie de la baie d'Hudson, on voit des peaux de castor emballées et prêtes au transport.

Les nouveaux arrivants

En 1535, Jacques Cartier, un Français, remonta le Saint-Laurent jusqu'à l'actuel emplacement de Montréal. Il ne put aller plus loin en raison des rapides. Tout comme John Cabot qui avait exploré la côte est du Canada en 1497, Cartier cherchait une route vers la Chine. Au lieu de cela, il découvrit l'entrée vers un nouveau continent.

Sur ses traces vinrent des aventuriers et des marchands français. Ils découvrirent un pays sauvage et vierge ainsi que le castor, dont les peaux furent exportées vers l'Europe où elles firent bientôt fureur (surtout pour confectionner des chapeaux).

Le Saint-Laurent constituait la voie la plus facile pour atteindre le cœur du pays (que l'on devait bientôt appeler Nouvelle-France) car, tout autour, ce n'était que forêts et terrains accidentés. Ce fut donc sur ses rives qu'une capitale, Québec, fut fondée en 1608 par Samuel de Champlain. Peu après, les colons arrivèrent et commencèrent à cultiver la terre.

Les Britanniques exploraient également certaines parties du Canada, mais vers le nord, autour de la baie d'Hudson. Des commerçants français et britanniques établirent des compagnies chargées de la traite des fourrures, dont la plus connue était la Compagnie de la baie d'Hudson. Cette compagnie britannique contrôlait de vastes régions du nord du Canada.

95-139
1200139

De nombreux autochtones abandonnèrent leur mode de vie traditionnel pour devenir trappeurs pour le compte des Européens. La demande de fourrures augmentant, les commerçants s'enfoncèrent de plus en plus loin dans le cœur inexploré du Canada. Des comptoirs furent établis le long des routes qu'ils empruntaient, particulièrement le long des cours d'eau navigables et sur les rives des Grands Lacs.

Les Britanniques et les Français étaient rivaux tant en Europe qu'en Amérique du Nord. La guerre éclata et les Britanniques décidèrent d'attaquer les colonies françaises situées le long du Saint-Laurent.

La Compagnie de la baie d'Hudson
Jusqu'en 1870, une énorme étendue située autour de la baie d'Hudson ne faisait pas partie du Canada. Elle était contrôlée par la Compagnie de la baie d'Hudson. Cette compagnie britannique rassemblait les fourrures de castor et les envoyait en Europe par la baie d'Hudson, évitant ainsi le Saint-Laurent contrôlé par les Français. Les explorateurs et les aventuriers travaillant pour elle s'enfoncèrent loin à l'intérieur des terres à la recherche de nouvelles zones de chasse. La plupart des trappeurs ne s'établissaient nulle part : à cette époque, les Canadiens ne construisaient des villes que le long du Saint-Laurent.

Un trappeur du 19e siècle progresse avec difficulté dans les étendues sauvages et glacées du Canada.

Québec était la ville la plus importante et donc la cible principale. Au cours d'une bataille célèbre qui eut lieu en 1759, le général britannique Wolfe mena un assaut victorieux contre les plaines d'Abraham, au sommet du rocher du cap Diamant (la colline sur laquelle se situait le fort français). En 1763, les Français durent céder leur territoire aux Britanniques. Ces derniers se joignirent aux Français installés le long du Saint-Laurent et établirent de nouvelles colonies autour des Grands Lacs.

Ci-dessus *Ce fort français gardait l'embouchure de la rivière Niagara sur le lac Ontario.*

Peu après, au sud, la guerre éclata entre les Britanniques et leurs colonies américaines (la guerre de l'Indépendance américaine) parce que les Américains ne voulaient plus être dirigés par un pays lointain situé de l'autre côté de l'Atlantique. Les colons canadiens restèrent cependant fidèles à la couronne britannique. Après l'indépendance, en 1783, l'Amérique continua à disputer à la Grande-Bretagne le contrôle des terres autour des Grands Lacs. La guerre éclata en 1812. Lorsque les Américains essayèrent de s'emparer de Montréal et de Québec, les Britanniques et les Canadiens français luttèrent côte à côte contre eux. Ce n'est que des années plus tard que la frontière entre les deux pays fut finalement fixée.

En 1867, le Canada forma son propre gouvernement, indépendant du gouvernement britannique, et se choisit une nouvelle capitale : Ottawa. Au cours des années 1870, le *Canadian Pacific Railway* ouvrit l'ouest du Canada aux colons, qui affluèrent. La vallée du Saint-Laurent demeura cependant le cœur du Canada, et c'est là que l'augmentation de la population allait avoir lieu et que l'essor industriel du siècle suivant allait se produire.

À droite *Les bâtiments du Parlement à Ottawa, la capitale canadienne*

4. Les habitants des rives du Saint-Laurent

Ces étudiants pédalent pour une bonne cause. La pancarte à l'avant de leur véhicule est rédigée en français et en anglais, les deux langues officielles du Canada.

Vous ne trouverez probablement pas d'autre endroit au monde où tant de races différentes vivent ensemble pacifiquement. La plus grande partie de la population, à peu près la moitié, est d'origine britannique, et à peu près un quart d'origine française. Mais il y a également des Allemands, des Ukrainiens, des Italiens, des Hollandais, des Scandinaves, des Polonais, des Chinois et d'autres venant de nombreux pays. Les autochtones ne constituent qu'un ou deux pour cent de la population. La plupart des Canadiens sont fiers de leurs origines européennes ou autres, et de leur pays qui accueille des gens du monde entier.

Les Amérindiens du Canada

Les Amérindiens vivaient le long du Saint-Laurent et autour des Grands Lacs. Ils y cultivaient la terre bien avant l'arrivée des Européens. La tribu des Hurons s'était installée dans ce que l'on appelle maintenant l'Ontario et y cultivait le maïs et le tabac. Les Hurons commerçaient avec d'autres tribus comme les Algonquins, qui menaient une vie de nomades dans les forêts au nord-ouest du Saint-Laurent : ils chassaient l'orignal et le cerf de Virginie et pêchaient. Les Hurons combattaient souvent les membres de la confédération

PROPERTY OF:
St Lawrence School

*À **droite** Ces Amérindiens assistent à un pow-wow (rassemblement) moderne.*

*À **gauche** Une Amérindienne de la tribu des Algonquins, qui vivent au nord-ouest du Saint-Laurent, égraine un épi de maïs dans un chaudron.*

Dwight Teeple

«Je suis né dans une cabane de rondins dans la communauté indienne de *Bay Mills*. Quand j'étais petit, nous n'avions pas d'électricité et nous allions chercher l'eau dans un puits situé à 1,5 km de chez nous. J'appartiens à la tribu des Chippewas (Ojibwas), qui fait partie d'un grand groupe linguistique reprenant beaucoup d'autres tribus: Outaouais, Blackfoot, Shawnees, Illinois, etc. Certains pensent que si nous croyons en nos vieilles traditions, nous devrions revenir en arrière et, par exemple, habiter dans des tipis ou vivre de la pêche. Je ne partage pas cette opinion. Nous nous adaptons sans cesse aux nouvelles technologies qui sont mises à notre disposition. J'ai toujours ressenti comme un défi le fait d'être Amérindien.»

iroquoise. Il s'agissait d'un rassemblement de cinq tribus agressives qui vivaient dans la région. À l'ouest des Grands Lacs, des tribus chassaient le bison dans les prairies; elles chassaient à pied jusqu'à ce que les Espagnols introduisent le cheval sur le continent.

L'arrivée des Européens a transformé à jamais la vie des Amérindiens. Ceux-ci furent nombreux à abandonner leur mode de vie traditionnel, basé sur la chasse, pour devenir trappeurs et commercer avec les Européens. Ils achetaient de la nourriture et des armes à feu aux Blancs et finirent par dépendre d'eux pour leur survie. Des milliers d'Amérindiens moururent à cause de maladies importées d'Europe. Les différentes tribus s'affrontèrent également pour le contrôle du commerce des fourrures.

Dans les prairies, les tribus ont été presque entièrement décimées par les maladies et l'introduction des armes à feu. À cause de ces dernières, les Amérindiens se mirent à chasser le bison, leur moyen de subsistance, de manière exagérée. Au fur et à mesure que les colons se répandaient à travers le Canada, les Amérindiens durent céder leurs terres. D'environ un million, la population amérindienne du Canada est tombée à 112 000 en 1867. Dans les années 20, elle recommença à augmenter et, bien que la plupart des Amérindiens vivent maintenant dans les villes, certains sont retournés à leur mode de vie traditionnel: ils chassent et pêchent pour subsister. Ils ont dû convaincre le gouvernement de leur rendre des terres pour pouvoir vivre dans leurs propres réserves protégées.

Les francophones

Les Français furent les premiers Européens à s'établir le long du Saint-Laurent; ils ont maintenu leur langue et leurs traditions, même après que la Grande-Bretagne eut pris le Canada sous son contrôle. Toutefois, les Britanniques furent bientôt plus nombreux que les Français au Canada. Ils furent encore plus nombreux lorsque les loyalistes américains (des Américains qui restaient fidèles à la couronne britannique

L'église catholique française de Sainte-Anne-de-Beaupré est un important lieu de pèlerinage. Des milliers de personnes s'y rendent chaque année.

Nicole Deschènes Duval

«Je suis sculpteur et je travaille dans la ville de Québec. Je suis une Canadienne française. Pour moi, la province du Québec devrait être un pays indépendant, avec son propre gouvernement. Les Canadiens français ont presque le sentiment d'être un peuple conquis par le reste du Canada anglophone. Tous les autres Canadiens français hors du Québec, ainsi que les francophones vivant aux États-Unis, ont été assimilés par des communautés anglophones; ils ont ainsi perdu leur langue et leur culture. Je crois que nous, francophones du Québec, restons le seul espoir d'une civilisation française en Amérique du Nord. Nous voulons notre indépendance. Nous n'avons rien contre les Canadiens anglophones. Nous voulons simplement préserver notre culture.»

Le quartier chinois à Toronto. De nombreux Chinois se sont installés au Canada.

alors que les autres luttaient pour leur indépendance) arrivèrent au Canada après la guerre de l'Indépendance américaine.

Les Canadiens français constituaient toutefois encore la majorité dans les villes de Montréal et de Québec, dans la province du Québec. Aujourd'hui, Montréal reste la plus grande ville francophone du monde, après Paris. Dans les années 60, les Canadiens français lancèrent un mouvement nationaliste québécois: ils souhaitaient l'indépendance de la province francophone du Québec, car la culture, la langue et l'histoire des Québécois sont différentes de celles des autres Canadiens. Un parti politique, le Parti québécois, réussit à faire du français la langue officielle au Québec.

Le Canada est maintenant officiellement bilingue. L'anglais et le français peuvent donc être enseignés dans toutes les écoles. Toutefois, de nombreux Canadiens français veulent que la province du Québec soit autonome, avec son propre gouvernement dans la ville de Québec. Même s'il n'est pas acquis que le gouvernement canadien accepte l'indépendance du Québec, l'importance de la culture française y est maintenant reconnue.

Les immigrants

Les plus grandes migrations humaines auxquelles le monde ait assisté ont eu pour objectif le Canada et les États-Unis. En 1800, la population canadienne dépassait à peine le demi-million. Au début du 20e siècle, environ deux millions d'étrangers vinrent s'établir au Canada et, depuis, on en a encore dénombré six ou sept millions.

La plupart des immigrants étaient des Européens qui fuyaient la pauvreté et la persécution, ou qui s'étaient retrouvés sans emploi et sans habitation après la guerre. Ainsi, dans les années 1860, les Scandinaves vinrent travailler comme bûcherons dans les forêts bordant les Grands Lacs. Au début du 20e siècle, le gouvernement canadien encouragea l'immigration pour faciliter la colonisation des prairies de l'ouest du pays. En 1945, après la Seconde Guerre mondiale, il y eut un afflux important de personnes en provenance d'Europe à la recherche d'une nouvelle vie. Récemment, les immigrants en provenance d'Asie ont été de plus en plus nombreux. À l'heure actuelle, entre 100 000 et 200 000 personnes émigrent au Canada chaque année.

5. L'occupation du territoire

Les Amérindiens ne construisaient jamais de villes. La plupart étaient nomades, même si certains avaient fondé des villages le long du Saint-Laurent. Tout cela changea avec l'arrivée des Européens : sur les terres inhabitées apparurent des villages et des villes. De nos jours, la majorité des Canadiens vivent dans des villes et des cités.

Les premiers habitants s'établirent tout près du Saint-Laurent, là où les bateaux en provenance d'Europe pouvaient accoster, amenant personnes et marchandises et emportant des fourrures. Les fermes se développaient au bord du fleuve, car il constituait une route pour les premiers habitants. De plus, le Saint-Laurent fournissait du poisson et les terres peu boisées étaient propices aux cultures.

Québec vue depuis l'escarpement dominant le Saint-Laurent. Sur la gauche, on peut voir le château Frontenac, véritable palace victorien.

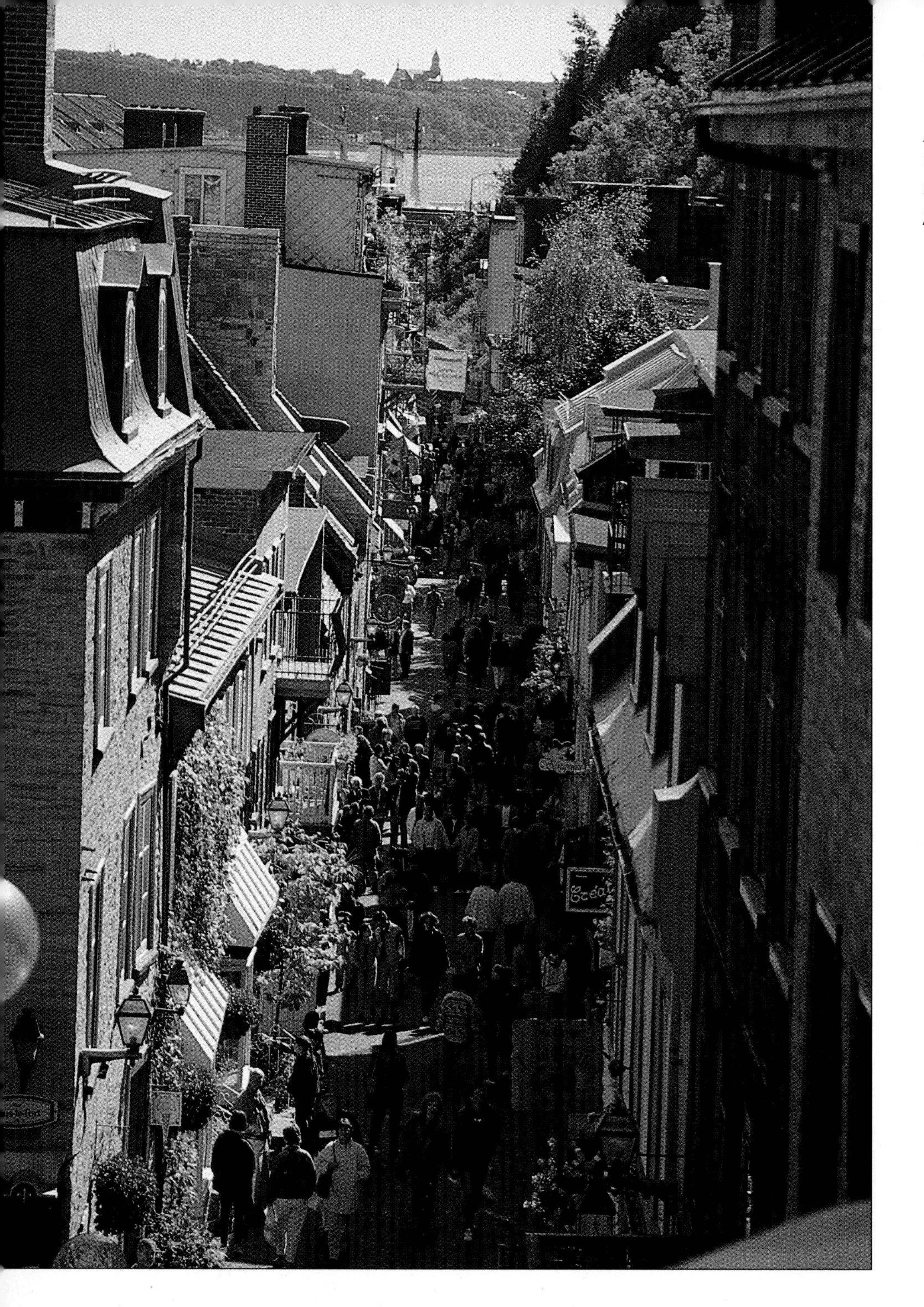

Rue Petit Champlain, dans le vieux quartier de Québec. On y retrouve tout le charme des villes françaises.

Les villes francophones: Québec et Montréal

Québec fut fondée en 1608 par Samuel de Champlain sur la rive gauche du Saint-Laurent. C'était la première ville du fleuve. Elle se situe au confluent du fleuve et de la rivière Saint-Charles, là où le Saint-Laurent est plus étroit (Québec vient du mot *kebec:* «endroit où les eaux sont moins larges»). Des collines escarpées bordent le fleuve, ce qui explique pourquoi Samuel de Champlain choisit cet endroit pour construire un fort afin de défendre les commerçants et les colons français. Québec ressemble beaucoup à une ville française, la majorité de ses habitants parlant le français et étant fiers de leurs origines.

Bien que Québec fût la capitale de la Nouvelle-France pendant un certain temps, la ville de Montréal prit peu à peu plus d'importance. Fondée en 1642 sous le nom de Ville-Marie, Montréal se mit à grandir le long des pentes boisées du mont Royal (235 m), sur une île, là où la rivière des Outaouais rejoint le Saint-Laurent. En ce temps-là, il s'agissait d'un important lieu de rencontre pour les commerçants. Bien que française à l'origine, la ville compte aujourd'hui des anglophones et des francophones, ainsi que bien d'autres nationalités.

Aujourd'hui, Montréal est la deuxième ville du Canada. C'est un centre d'affaires important, au milieu d'une vaste région industrielle. Les immenses quais le long des rives du Saint-Laurent voient défiler chaque année des milliers de tonnes de marchandises. Des gratte-ciel modernes s'élancent vers le ciel, tandis que sous terre se trouve un impressionnant réseau de magasins, restaurants et bureaux reliés par le métro. Durant les mois d'hiver, les Montréalais peuvent ainsi s'abriter au chaud dans leur ville souterraine.

De hauts gratte-ciel s'élèvent dans le centre de Montréal, tout près des quais sur le Saint-Laurent.

Les villes des Grands Lacs

Toronto se trouve sur la rive nord du lac Ontario. C'est une ville anglophone établie par les loyalistes américains qui quittèrent leur pays après la guerre de l'Indépendance américaine. C'est aussi la principale agglomération du Canada avec 612 000 habitants. Toronto est une ville vivante où les gens peuvent apprécier les arts, la musique et d'autres loisirs. Autour du centre culturel et commercial se trouvent un grand nombre d'industries diverses. Avec Montréal, Toronto forme le cœur industriel du Canada.

Comme beaucoup de villes d'Amérique du Nord, Toronto a grandi si rapidement que de sérieux problèmes liés au trafic se posent. Il est difficile de trouver une solution; à Toronto, des bureaux ont été construits dans des parcs aménagés aux abords de la ville afin d'alléger les problèmes de trafic dans le centre. D'autres villes à proximité des Grands Lacs connaissent également les mêmes problèmes. Les villes autour des lacs se sont étendues sur des kilomètres, à tel point qu'à certains endroits elles se fondent l'une dans l'autre.

Les villes les plus importantes sur les rives des lacs sont Chicago, Detroit et Cleveland, toutes les trois situées aux États-Unis. Chicago, appelée également

Le Canada en chiffres
Capitale: Ottawa
Population: 28 865 700 habitants
Villes principales: Toronto, Montréal, Vancouver, Edmonton, Calgary, Winnipeg
Langues officielles: anglais et français
Religions principales: catholique romaine, unie du Canada, anglicane
Superficie: 9 970 610 km^2 (le pays le plus vaste après la Russie, soit 18 fois la France)

La ville moderne de Toronto, où se trouve la tour du Canadian National Railways, *la plus haute du monde, s'étend le long du lac Ontario.*

Windy City (Ville des vents), qui ne comptait qu'une centaine d'habitants en 1830, est maintenant l'une des villes les plus importantes d'Amérique du Nord. Elle doit son expansion à la construction de la voie ferrée traversant les États-Unis. À cet endroit, les marchandises transportées par bateau sur le lac Michigan pouvaient être transférées au chemin de fer. Les usines manufacturant le fer et l'acier s'y installèrent parce que les matières premières volumineuses pouvaient y être acheminées par bateau et les produits finis envoyés en train dans tous les États-Unis. Chicago est également un important marché du grain pour les régions productrices de blé du Midwest américain.

Tout comme Chicago, Detroit fut au début un point de rencontre pour le commerce des fourrures. De nos jours, les usines de la ville fabriquent toutes sortes de produits, mais Detroit est surtout connue pour son industrie automobile : elle abrite les quartiers généraux de compagnies mondialement réputées, telles que Ford, Chrysler et General Motors. Cleveland, sur les rives du lac Érié, est un centre du fer et de l'acier de premier plan.

La ville de Detroit est un exemple typique des énormes villes industrielles situées autour des Grands Lacs.

6. L'agriculture et l'industrie

Une grande ferme laitière située près du lac Michigan approvisionne les villes de la région des Grands Lacs.

L'agriculture et la pêche

Sur la rive nord du Saint-Laurent, le Bouclier canadien descend jusqu'au bord du fleuve. Sa surface accidentée fait la joie des touristes qui apprécient le paysage, mais ce n'est pas un sol facile à cultiver. La plupart des fermes se situent au sud-ouest du fleuve, là où le sol est plus plat. Cette région ainsi que les terres situées autour des Grands Lacs sont les parties les plus cultivées du Canada.

Les fermiers élèvent principalement des vaches laitières qui fournissent du lait, du beurre et du fromage aux grandes villes.

Autour des lacs Ontario et Érié se trouve une région appelée les vergers du Niagara : grâce au climat plus doux engendré par la présence des lacs, des fruits tels que les pêches, les pommes et les cerises y poussent bien. On y trouve même des vignes. Les cultures maraîchères sont également importantes. Le Saint-Laurent et la région des Grands Lacs constituent une zone agricole productive ; en effet, cette partie du territoire possède, d'une part, la plus longue saison du pays propice à la croissance des plantes (en raison du

La culture du blé

Les prairies de l'ouest canadien sont l'une des zones de culture les plus importantes des pays développés : chaque agriculteur produit assez de blé et de viande pour nourrir 55 personnes pendant un an. Quelque 98 % du blé canadien proviennent de cette région. Les agriculteurs utilisent d'impressionnantes machines pouvant moissonner efficacement les cultures en terrain plat. Étant donné que les étés sont courts et qu'il y a des périodes sans pluie, ils privilégient le blé à croissance rapide et demandant peu d'eau.

Une ferme sur l'île d'Orléans dans le Saint-Laurent. Les habitations ont des toits en pente raide pour permettre à la neige de glisser facilement en hiver.

À gauche *Ces fruits ont été récoltés dans les vergers du Niagara.*

À droite *Vignes près du lac Ontario*

réchauffement des terres grâce aux Grands Lacs) et, d'autre part, des terres fertiles laissées par le retrait des glaces il y a des milliers d'années.

On produit encore du lait autour des autres Grands Lacs mais, plus à l'ouest, le paysage est caractérisé par les prairies. Ces vastes plaines ouvertes qui s'étendent sur 1 700 km d'est en ouest sont recouvertes de limon d'origine glaciaire et sont fertiles. À l'origine, c'étaient des plaines herbeuses, mais les colons les ont labourées et y ont planté du blé. Aujourd'hui, ces prairies sont parfois appelées «le grenier du monde» en raison des importantes quantités de blé qui y sont produites.

Les eaux de l'embouchure du Saint-Laurent sont propices à la pêche. Avant d'explorer les terres et de commencer à chasser le castor, les Européens se sont rendu compte que ces eaux grouillaient de poissons tels que la morue. Les côtes de Terre-Neuve étaient, jusqu'il y a peu, la zone la plus productrice pour la pêche à la morue. Cependant, la pêche y a été pratiquée de manière si intensive que le gouvernement a dû imposer des quotas pour empêcher la disparition complète du poisson. Ces quotas limitent les quantités de poissons que chaque pêcheur peut prendre chaque année. Actuellement, la pêche la plus rentable est celle du homard.

Les morues sont mises à sécher en plein air dans la péninsule de Gaspé.

Les ressources et l'industrie

La région du Saint-Laurent dispose de nombreuses ressources naturelles, comme les forêts qui poussent autour du fleuve et des Grands Lacs. Après avoir été abattus, les arbres sont acheminés par le fleuve puis réduits en pulpe dans les fabriques de papier. Ces fabriques, comme celles de Trois-Rivières, Baie-Comeau et Chicoutimi-Jonquière, se trouvent près de cours d'eau car le bateau est le moyen le plus facile pour transporter les produits volumineux de la coupe du bois (le papier et la pulpe). Les cours d'eau fournissent également de l'énergie hydroélectrique et constituent une source d'énergie pratique pour les scieries. Bien que, par le passé, les terres aient été dépouillées de leurs arbres sans être reboisées, la sylviculture au Canada est maintenant strictement gérée et les arbres sont traités comme toute autre culture.

La sylviculture

Les Canadiens réalisent que les forêts constituent une ressource importante dont ils doivent prendre soin. Par le passé, les arbres étaient abattus sans être remplacés; désormais, on replante beaucoup. L'industrie de l'abattage exige du matériel lourd: les arbres sont abattus à l'aide de tronçonneuses et ensuite traînés ou empilés par de gros véhicules. Les lacs et les cours d'eau sont toujours utilisés pour le transport des troncs. La pulpe et le papier occupent la deuxième place dans les exportations du Canada.

Le Bouclier canadien – qui contient des réserves de fer, d'argent, de platine, d'or, de cuivre, de nickel, de zinc et d'uranium – constitue une des régions minières les plus riches du monde. La rudesse du climat et la difficulté d'accès des régions où se trouvent les minéraux rendent l'exploitation minière difficile. Schefferville, où l'on exploite le minerai de fer, est l'une de ces régions (voir carte page 37). Une voie ferrée de 600 km a été construite pour relier la mine au port de Sept-Îles, sur la rive du Saint-Laurent. Le fleuve est le moyen de transport le plus pratique pour le minerai de fer.

Les basses terres du Saint-Laurent sont la principale région industrielle du Canada : autour de Montréal et Toronto, les usines fabriquent de tout, des véhicules et des produits chimiques jusqu'aux meubles et aux boissons. De telles industries, de même que l'abattage du bois et l'activité minière, nécessitent beaucoup d'énergie. Le Canada produit de l'électricité grâce aux barrages qui contrôlent le débit de milliers de cours d'eau. C'est sur les affluents du Saint-Laurent, comme la rivière des Outaouais et le Saguenay, que se trouvent les plus grandes centrales hydroélectriques, mais

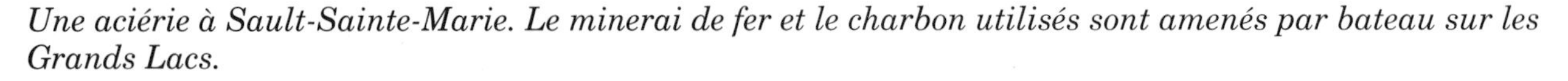

Une aciérie à Sault-Sainte-Marie. Le minerai de fer et le charbon utilisés sont amenés par bateau sur les Grands Lacs.

Ce pont est construit en aluminium. Non loin de là se trouve l'immense usine d'aluminium de Chicoutimi-Jonquière sur le Saguenay, un affluent du Saint-Laurent.

les rapides et les chutes du Saint-Laurent sont également utilisés pour produire de l'électricité.

Aux chutes du Niagara se trouve une importante centrale hydroélectrique. Pour produire de l'électricité, l'eau doit être amenée des chutes à la centrale mais, à cause de l'importance touristique de celles-ci, cela ne peut se faire que la nuit. Des industries utilisant de grandes quantités d'énergie se sont installées à cet endroit (usines chimiques ou usines d'aluminium). La rivière Niagara est bordée de nombreux bâtiments industriels, formant ainsi une «vallée de la chimie» remplie d'usines.

À Chicoutimi-Jonquière, sur le Saguenay, où l'électricité hydraulique à bon marché est disponible en quantité, on produit de l'aluminium. Le minerai est importé de l'étranger pour être traité. Le Saguenay est profond et permet aux grands bateaux de le remonter sur de longues distances.

Le Canada produit tellement d'énergie hydroélectrique qu'il doit vendre ses surplus aux États-Unis. Bien que l'hydroélectricité soit une source d'énergie propre et relativement bon marché, elle peut parfois causer de sérieux dommages à l'environnement lorsque des barrages sont dressés sur les cours d'eau, car cela détruit l'habitat naturel de la faune et de la flore.

La zone industrielle

Les villes industrielles implantées autour des Grands Lacs font partie de ce que l'on appelle parfois le *cœur industriel d'Amérique du Nord*. C'est la région industrielle la plus importante des États-Unis depuis que l'on a commencé à y exploiter le charbon et le fer au milieu du 19e siècle.

L'industrie a besoin d'acier pour fabriquer les machines qu'elle utilise; le fer et le charbon sont nécessaires à la fabrication de l'acier. D'énormes gisements de charbon ont été découverts dans les Appalaches, au sud du lac Érié; du fer a été trouvé à l'ouest, près du lac Supérieur. Les lacs constituaient visiblement le meilleur moyen de transporter des matériaux aussi lourds et aussi encombrants, et des aciéries se sont développées près des ports où l'on embarquait et débarquait le charbon et le fer. Autour de ces industries ont prospéré bon nombre de grandes villes industrielles de l'Amérique du Nord, telles que Chicago et Detroit.

Les marchés de ces industries ne se limitent pas à leur propre région; ils englobent tous les États-Unis et même le monde. Bien que le *cœur industriel* soit toujours une des grandes régions industrielles du monde, il connaît de nombreux problèmes du fait de sa vétusté. Les villes sont surpeuplées et polluées, et une grande partie du matériel est démodé ou dépassé.

Deux centrales hydroélectriques sur la rivière Niagara. Celle de gauche fournit les États-Unis et celle de droite le Canada.

7. La voie maritime du Saint-Laurent

Les écluses de Soo à Sault-Sainte-Marie, entre le lac Supérieur et le lac Huron. Une partie du pont de chemin de fer est relevée pour permettre le passage d'un cargo.

Les canaux et les écluses

Pour les colons européens, le Saint-Laurent et ses affluents étaient les seules voies praticables pour acheminer les biens et les personnes à l'intérieur des terres. Voyager par voie de terre était trop difficile et trop dangereux. Il n'y a pas d'obstacle le long du tronçon large et profond du fleuve qui va de Montréal à l'Atlantique. Ce tronçon a toujours été une voie navigable ouverte aux bateaux de toutes tailles. Toutefois, les rapides situés juste en amont de Montréal ne permettaient que le passage de petits bateaux. Les plus importants, capables de faire le voyage en amont du fleuve vers le lac Supérieur, étaient des canots de 12 m de long pouvant contenir 6 à 12 hommes.

Les voies navigables furent petit à petit améliorées. Ainsi, le premier canal contournant les chutes du Niagara fut inauguré en 1833. En 1855, les écluses de Soo et un canal furent construits pour permettre le passage des premières cargaisons de minerai de fer des rives du lac Supérieur aux nouvelles régions industrielles des lacs du sud. Toutefois, les bateaux de fort tonnage ne pouvaient toujours pas voyager sur le tronçon allant de Montréal au lac Ontario.

La voie maritime du Saint-Laurent ne fut pas terminée avant 1959. C'est aujourd'hui le plus grand système de navigation intérieure d'Amérique du Nord, s'étendant sur 3 750 km de Duluth, sur les rives du lac Supérieur, à l'océan Atlantique. La voie maritime commence juste en amont de Montréal. Pour éviter les rapides, des écluses et de profonds canaux ont dû être construits. D'autres voies navigables furent draguées afin de les rendre plus profondes.

Le plus bel exploit fut la construction du canal Welland, qui contourne les chutes du Niagara, entre les lacs Ontario et Érié. La différence de niveau entre les lacs est de 100 m ; huit écluses furent construites sur ce canal long de 43 km. Le schéma de la page 7 permet de se rendre compte de ce qui dut être réalisé pour rendre le passage possible aux grands bateaux.

Quelques chiffres concernant la voie maritime

Longueur depuis l'océan Atlantique jusqu'au lac Supérieur : 3 750 km

Écluses : 7 écluses sur le Saint-Laurent, 8 sur le canal Welland et 1 sur le canal de Soo. En tout, 16 écluses permettent de franchir une dénivellation de 177 m.

Hydroélectricité : les gouvernements américain et canadien qui firent construire la voie maritime du Saint-Laurent profitèrent de l'occasion pour faire bâtir plusieurs centrales hydroélectriques le long du fleuve.

Emprunter la voie maritime

Bien que des bateaux de 30 000 tonnes puissent emprunter la voie maritime du Saint-Laurent et aller de l'océan Atlantique à Duluth, les canaux n'ont pas été prévus pour les énormes bateaux qui sillonnent actuellement les océans. Les cargaisons sont donc souvent amenées en aval jusqu'à l'un des ports du Saint-Laurent, puis transférées dans des bateaux de haute mer se rendant dans l'océan Atlantique.

La voie maritime présente l'inconvénient

Le canal Welland ; 8 écluses permettent de franchir une dénivellation de 100 m.

Le Saint-Laurent à Québec, en hiver. Un chenal est maintenu ouvert par des brise-glace jusqu'à Montréal mais, en amont, la voie maritime est impraticable en hiver.

de geler en hiver. Pendant quatre ou cinq mois de l'année, entre décembre et avril, les canaux et la plupart des ports sont inutilisables; même les brise-glace ne peuvent se frayer un passage. Montréal est le point le plus éloigné que les bateaux de haute mer puissent atteindre en hiver, et ce grâce au travail incessant des brise-glace qui maintiennent le passage ouvert. Il est trop difficile de naviguer dans le golfe du Saint-Laurent au début de l'été à cause des épais brouillards qui recouvrent tout.

Les bateaux qui naviguent sur les Grands Lacs ont reçu en anglais le nom de *lakers*, c'est-à-dire «bateaux des Grands Lacs»; ils sont longs et étroits, et les bateaux standard (environ 220 m de long) peuvent utiliser la voie maritime du Saint-Laurent pour descendre jusqu'à Montréal. Des vraquiers, conçus pour transporter de grosses cargaisons en vrac telles que du blé ou du charbon, ont été construits pour naviguer sur les Grands Lacs, mais ils ne peuvent pas emprunter l'étroit canal Welland et ainsi atteindre le cours inférieur de la voie maritime. Bien que loin à l'intérieur des terres, les Grands Lacs connaissent parfois de terribles tempêtes ou des brouillards pouvant durer plusieurs jours, ce qui rend la navigation difficile.

8. Une route commerciale

Telle une flèche, l'embouchure du Saint-Laurent semble indiquer à travers l'Atlantique la direction de l'Europe. Lorsque l'on regarde une carte du monde, on se rend compte que le Saint-Laurent est non seulement la voie d'accès la plus à l'est du continent nord-américain, mais également l'un des points à partir duquel le trajet vers l'Europe est le plus court.

Depuis l'arrivée des colons européens, le Saint-Laurent a été une route commerciale importante; c'est encore plus vrai depuis l'ouverture de la voie maritime. Les ports des Grands Lacs se sont internationalisés, envoyant des marchandises vers l'Europe tout comme vers les grandes villes du centre du Canada. Chaque année, plus de 10 000 bateaux parcourent le Saint-Laurent, transportant des millions de tonnes de marchandises.

Du blé est emmagasiné dans cet immense silo avant d'être chargé sur un navire vraquier.

Le blé et les minerais

L'une des plus importantes marchandises transportées par cette route est le blé provenant des prairies. Le blé est emmené en train depuis les fermes jusqu'à d'énormes silos (tours de stockage) situés dans des villes comme Duluth et Thunder Bay, sur les rives du lac Supérieur. Là, le blé est nettoyé et calibré avant d'être chargé sur des navires vraquiers. Il est transporté sur les lacs jusqu'aux villes riveraines d'Amérique ou du Canada, ou sur le Saint-Laurent pour l'exportation.

Le blé peut être expédié directement en Europe à travers l'Atlantique, mais la plus grande partie est déchargée dans des ports le long du Saint-Laurent. Ces ports fluviaux restent ouverts toute l'année et le blé peut être expédié à tout moment. Près de ports comme Baie-Comeau et Montréal, les silos à partir desquels le chargement des bateaux s'effectue directement s'alignent le long des quais.

Deux autres marchandises jouent également un rôle important dans le trafic le long de la voie maritime: le charbon et le minerai de fer. Le charbon provenant des mines des Appalaches est transporté par bateau depuis des ports comme Toledo et Cleveland vers d'autres centres industriels ou métallurgiques. Autrefois, le minerai provenait de mines situées près du lac Supérieur et était envoyé par les Grands Lacs vers les centres industriels, mais les mines se sont épuisées peu à peu. Le minerai provient maintenant de la direction opposée: il est extrait à Schefferville et remonte la voie maritime vers les Grands Lacs à partir du port de Sept-Îles.

Cette carte montre les principales voies commerciales le long du Saint-Laurent.

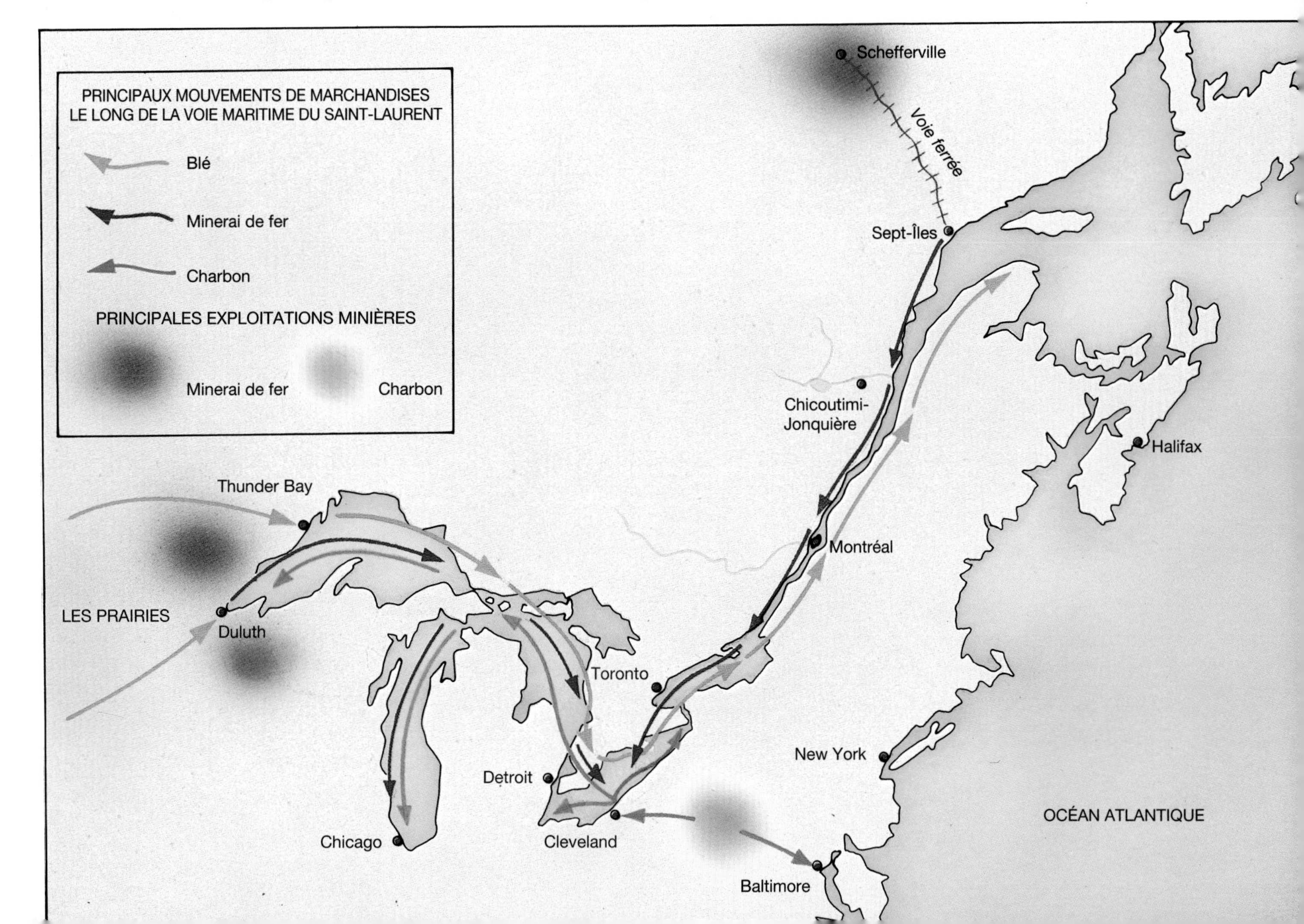

Dans les ports le long du Saint-Laurent, d'imposants silos permettent aux bateaux de charger leur cargaison en vrac ; ce bateau charge du ciment.

L'avenir de la voie maritime

Le choix du bateau et de la voie maritime pour le transport des marchandises dépend de nombreux facteurs dont le plus important est le coût. Il est généralement meilleur marché de transporter des marchandises en vrac (comme le blé et le minerai) par bateau que par la route ou même par le train. Toutefois, si le bateau revient à vide, cela représente une perte d'argent. Le long du Saint-Laurent, certains des bateaux amenant du blé ou du charbon vers l'aval peuvent remonter de Sept-Îles chargés de minerai de fer.

Pour diverses raisons, la voie maritime n'est pas toujours la solution la plus pratique : elle ne permet le passage que de bateaux d'un tonnage limité, elle gèle en hiver, les bateaux doivent payer des droits importants pour pouvoir utiliser les canaux et il y a des délais d'attente aux goulets d'étranglement. La destination de la cargaison a également une influence : si les marchandises sont destinées à l'Asie, il est préférable de les expédier par le train vers un port du Pacifique. Même pour des cargaisons destinées à l'Europe, il peut s'avérer meilleur marché de les expédier par voie de chemin de fer vers un port comme Montréal, où la glace n'est pas un problème.

D'autres facteurs affectent les coûts et les moyens de transport des marchandises. Il faut savoir si le port de destination peut recevoir des bateaux de fort tonnage et combien de fois la cargaison doit charger et décharger durant le trajet. Le prix du carburant joue également un rôle très important ; s'il augmente, le transport ferroviaire peut devenir plus intéressant.

Dan McDonald

« Je suis le commandant de ce bateau, le *Patterson*. C'est un cargo des Grands Lacs, de 240 m de long, qui transporte des marchandises sur les Grands Lacs et sur le Saint-Laurent. Nous transportons du blé depuis Thunder Bay, sur le lac Supérieur, jusqu'à Montréal ou la ville de Québec, sur le cours inférieur du Saint-Laurent. Nous embarquons ensuite du minerai de fer à destination de Chicago. Les pires conditions climatiques, ce sont les brouillards et les tempêtes de neige; ce n'est pas rassurant de naviguer sur des cours d'eau fréquentés quand on n'y voit rien. C'est même plus effrayant que les tempêtes sur les lacs. Quand la voie maritime est gelée, à partir de fin décembre, nous mettons le bateau en rade. Je retourne alors chez moi, à Toronto, et, parfois, je m'envole vers le soleil. »

Le transport des marchandises se fait toujours de préférence par la voie maritime du Saint-Laurent, mais il existe d'autres routes qui pourraient être utilisées plus facilement et à moindre frais. Les principaux défauts de la voie maritime sont le tonnage limité qu'elle peut accepter et sa fermeture en hiver à cause des glaces. Le tronçon du Saint-Laurent en aval de Montréal n'a aucun de ces inconvénients et restera probablement une voie navigable internationale importante.

Ce cargo belge transportant un chargement de minerai traverse le canal Welland pour se rendre en Europe.

9. La pollution et les menaces pour la faune et la flore

À gauche *Les castors construisent des barrages et des huttes à l'aide de branches et de boue.*

Ci-dessous *Le saumon constitue la prise préférée des pêcheurs de la région du Saint-Laurent.*

La faune

Le Saint-Laurent et ses affluents abritent une vie sauvage très variée. On y trouve environ 200 espèces différentes de poissons, en comptant les anguilles et les saumons qui remontent les cours d'eau depuis la mer pour frayer en eau douce. Le Saint-Laurent étant en partie soumis au régime des marées, un mélange de faune et de flore d'eau douce et d'eau salée y prolifère.

La mer est riche en poissons dans le golfe du Saint-Laurent: de petits poissons appelés capelans de Terre-Neuve se reproduisent dans les courants qui le traversent et attirent des poissons plus gros, comme la morue. L'été, les morues affamées suivent les bancs de petits poissons jusque dans les eaux du golfe; l'hiver, elles émigrent vers le sud, vers des eaux plus profondes.

L'un des animaux les plus connus que l'on

Les baleines
Différentes baleines, comme le béluga, la baleine à bosse, la baleine commune et la grande baleine bleue, remontent le Saint-Laurent pour se nourrir du plancton qu'elles trouvent dans ses eaux. On chassait autrefois les baleines pour leur huile, utilisée pour fabriquer du savon ou d'autres produits industriels. On pense qu'au début du siècle, environ 5 000 baleines visitaient régulièrement le Saint-Laurent; il n'en reste que 600 à l'heure actuelle. Sur la photo ci-dessous, des bélugas jouent dans les eaux glacées du golfe du Saint-Laurent.

peut voir dans les eaux du Saint-Laurent est le béluga. Les marins l'appelaient autrefois le «canari des mers» en raison des différents bruits qu'il produit: craquements, claquements et même une sorte de meuglement. Le béluga est une baleine blanche pouvant atteindre 5 m de long. Ses nageoires lui permettent aussi bien d'avancer que de reculer. En été, le Saint-Laurent est visité par six autres espèces de baleines qui remontent parfois jusqu'à l'embouchure du Saguenay. Elles sont attirées par les eaux riches en plancton.

C'est dans les régions vierges du Bouclier canadien que l'on trouve le plus d'animaux sauvages comme le caribou, l'orignal, l'ours noir, le raton laveur, le loup et le castor. Les castors construisent des barrages à l'aide de branchages, de pierres et de terre pour former des étangs, et bâtissent souvent des huttes avec des branches et de la boue. Ils se nourrissent d'écorce tendre et de brindilles et enterrent du bois au fond de l'eau comme réserve de nourriture.

La diminution du nombre des morues dans l'Atlantique a durement touché les petites communautés de pêcheurs comme celle-ci, située près de l'embouchure du Saint-Laurent.

En raison des hivers rigoureux propres au climat nordique, la faune et la flore ont dû apprendre à s'adapter au froid, à hiberner ou à migrer vers des régions plus chaudes. Deux fois par an, le Saint-Laurent devient une voie de migration pour les oiseaux (à peu près les deux tiers des oiseaux d'Amérique du Nord sont migrateurs). Le fleuve fournit de la nourriture à des milliers de canards et d'oies qui se dirigent vers le sud en automne, et vers le nord au printemps.

L'homme et l'environnement

Les animaux sauvages ont souffert à cause de l'intervention de l'homme. Beaucoup ont perdu leur habitat et leur source de nourriture, ou ont été tellement perturbés par les activités humaines qu'ils ont abandonné leur territoire ou se sont éteints. La chasse excessive a également eu des conséquences terribles : c'est le cas de la baleine, du castor et du bison des prairies. Dans le cas d'autres animaux, ce sont les déchets produits par les activités humaines qui ont empoisonné l'eau des cours d'eau et les terres.

L'industrie est l'un des principaux pollueurs, notamment par le biais des produits chimiques que les usines rejettent. Autrefois, les eaux des Grands Lacs grouillaient d'esturgeons, de saumons, de truites et de corégones. Aujourd'hui, on y trouve principalement des poissons d'eau douce tels que la carpe. On pense que ce sont les déchets d'aluminium descendant la rivière Saguenay en provenance des fonderies de Chicoutimi-Jonquière qui sont responsables de l'empoisonnement des bélugas et des poissons.

Même si des contrôles stricts sont effectués dans les usines, il est difficile de s'assurer que toutes respectent les directives en matière d'environnement. De nombreuses substances toxiques ne peuvent être vues, senties ni goûtées. Il faudra de nombreuses années pour débarrasser les eaux des lacs de tous les produits chimiques déversés jusqu'ici.

Certaines parties de la région des Grands Lacs et du Saint-Laurent sont fortement peuplées et industrialisées : la pollution y est grande.

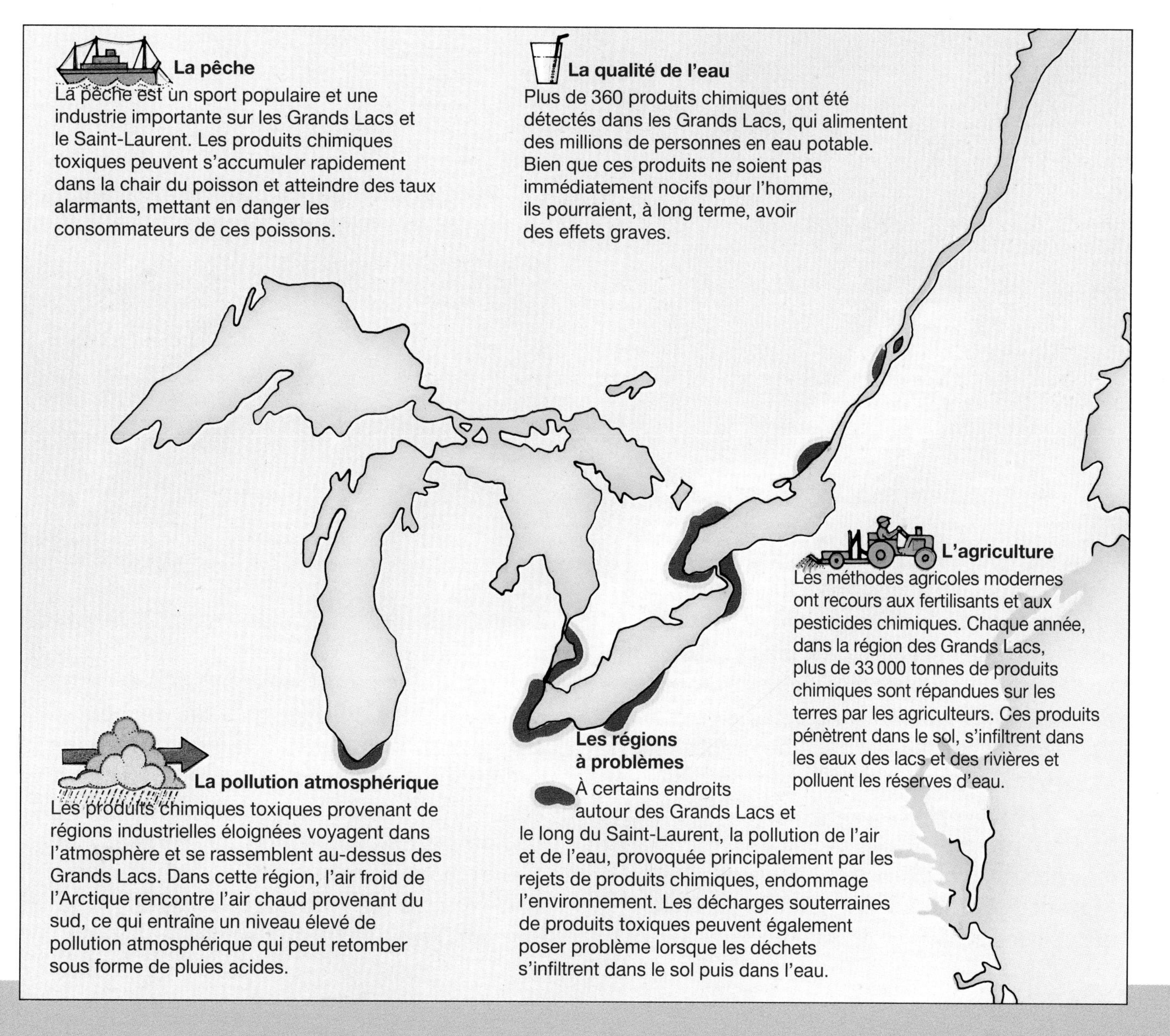

Ci-dessus *Il y a de nombreuses aciéries le long des Grands Lacs.*

À droite *Le canal Lachine à Montréal*

La région est également touchée par la pollution atmosphérique. Dans les zones industrielles, des produits toxiques sont rejetés dans l'atmosphère, engendrant des pluies acides. Ces pluies nuisent à la flore et contaminent les réserves d'eau. Dans une région du Québec, les neuf dixièmes des poissons ont disparu parce que l'eau était trop acide. L'agriculture moderne provoque une pollution de plus en plus importante en raison des produits chimiques utilisés pour fertiliser les champs et prévenir les maladies des cultures. Ces produits finissent par aboutir dans les lacs et les cours d'eau.

La population de la région dépassant les 50 millions d'individus, les déchets d'origine humaine posent également un problème. À la fin du siècle dernier, les villes des Grands Lacs ont connu des épidémies de typhoïde et de choléra parce que l'eau non traitée des égouts était rejetée dans les lacs qui fournissaient l'eau potable. Depuis 1925, l'eau des lacs est

Scène de pêche au saumon dans la région des Mille-Îles. Le contrôle de la pollution profite à tous ceux qui vivent près des cours d'eau ou des lacs ou qui les utilisent.

traitée pour la rendre propre à la consommation. Mais l'homme peut aussi être empoisonné par le poisson et l'on conseille d'éviter de consommer certaines espèces. Le Saint-Laurent n'est pas aussi pollué que les lacs parce que les substances nocives sont éliminées plus facilement par les eaux courantes. Malgré tout, la pêche à l'anguille y a été interdite en 1970. À présent, à l'exception de certains coquillages, tous les produits de la pêche en mer sont propres à la consommation.

La pollution affecte l'homme sur d'autres plans. Le Saint-Laurent et les Grands Lacs servent de zones récréatives à la population de la région. On y navigue, pêche, nage et bronze durant l'été. La pollution a gâché le plaisir que l'on pouvait retirer des eaux: certaines plages du Saint-Laurent et des Grands Lacs sont régulièrement fermées au public à cause des déchets dangereux concentrés dans l'eau.

Il convient de revoir à l'avenir les règles d'utilisation du Saint-Laurent et des Grands Lacs pour la protection de la faune et celle de l'homme. Une manière de faire face aux problèmes est de continuer à dépenser des milliards de dollars pour dépolluer et de contrôler la production des substances nocives. L'homme peut changer son mode de vie, abandonner l'utilisation de substances engendrant des déchets dangereux et utiliser des méthodes d'agriculture n'employant pas autant de produits chimiques. Mais il va falloir changer beaucoup de choses pour que cette extraordinaire réserve naturelle d'eau ne disparaisse pas et soit toujours utilisable par les millions de personnes qui en dépendent.

GLOSSAIRE

Aciérie usine où l'on fabrique de l'acier
Affluent se dit d'un cours d'eau qui se jette dans un autre
Aluminium métal blanc, brillant, léger, s'altérant peu à l'air
Amérindien propre aux Indiens d'Amérique
Bison grand bovidé sauvage, caractérisé par son cou bossu et son grand collier de fourrure laineuse
Bouclier vaste surface constituée de terrains très anciens nivelés par l'érosion
Canal voie navigable artificielle
Caribou renne du Canada
Colonie territoire occupé et administré par une nation étrangère, et dont il dépend sur les plans politique, économique, culturel, etc.
Comptoir agence de commerce d'une nation en territoire étranger
Continent vaste étendue de terre que l'on peut parcourir sans traverser la mer
Cours inférieur partie d'un fleuve la plus rapprochée de la mer
Cours supérieur partie d'un fleuve la plus éloignée de la mer
Drague bateau muni d'un dispositif à godets, à succion, à benne preneuse ou autre, pour le curage des chenaux de navigation et l'enlèvement des alluvions dans les ports
Droits somme d'argent exigible en vertu d'un règlement, impôt, taxe. Par exemple, pour l'utilisation de routes, de ponts ou de voies navigables
Écluse ouvrage aménagé entre deux plans d'eau de niveau différent pour permettre aux embarcations de passer de l'un à l'autre grâce à la manœuvre de portes et de vannes
Épidémie atteinte simultanée d'un grand nombre d'individus d'un pays ou d'une région par une maladie contagieuse (typhoïde, choléra, grippe, etc.)
Érosion usure progressive des roches et du sol par l'action du vent, de l'eau, de la glace, etc.
Exporter transporter, vendre à l'étranger les produits de l'activité nationale
Fonderie usine où l'on fond les métaux ou les alliages pour en faire des lingots ou pour leur donner leur forme d'emploi
Frayer déposer ses œufs en parlant d'un poisson femelle ; les arroser de laitance pour les féconder en parlant du mâle
Glaciation période durant laquelle une région a été recouverte par les glaciers
Habitat aire dans laquelle vit une population, une espèce animale ou végétale particulière
Hibernation état léthargique, dû à un abaissement de la température du corps, dans lequel certains mammifères (marmotte, loir, etc.) passent l'hiver
Hydroélectricité énergie électrique obtenue par conversion de l'énergie hydraulique des rivières et des chutes d'eau
Limon fines particules de roche charriées par les cours d'eau et formant des sols légers et fertiles
Midwest américain vaste région des États-Unis, entre les Appalaches et les Rocheuses
Migration déplacement de population, de groupes, d'un pays dans un autre pour s'y établir sous l'influence de facteurs économiques ou politiques
Minerai élément de terrain contenant des minéraux utiles en proportion notable et qui demandent une élaboration pour être utilisés dans l'industrie
Nomade qui n'a pas de domicile fixe et qui se déplace fréquemment
Orignal élan du Canada
Persécution traitement répressif arbitraire de l'autorité constituée contre un groupe religieux, politique, ethnique, etc.
Plancton ensemble des êtres microscopiques en suspension dans la mer ou l'eau douce
Pluies acides pluies chargées d'ions acides, d'origine industrielle, nuisibles à la végétation et surtout aux forêts

Province division territoriale d'un État placée sous l'autorité d'un délégué du pouvoir central
Pulpe résidu pâteux du traitement de certains végétaux utilisé dans les usines à papier
Rapide section d'un cours d'eau où l'écoulement est accéléré en raison d'une augmentation brutale de la pente du lit
Réserve (anthropologie) territoires réservés aux Amérindiens et soumis à un régime spécial
Silo réservoir de grande capacité pour stocker les récoltes
Trappeur chasseur d'animaux à fourrure, en Amérique du Nord
Vraquier sorte de bateau transporteur de marchandises en vrac

LECTURES COMPLÉMENTAIRES... ET POUR PLUS D'INFORMATIONS

Lectures

Il existe peu d'ouvrages traitant spécifiquement du Saint-Laurent. Pour trouver plus d'informations, il suffit de rechercher des ouvrages sur le Canada et la région des Grands Lacs, ou encore des ouvrages sur la navigation fluviale et les canaux.

Le Canada, «Peuples et horizons», Librairie Larousse, 1989.

Adresses

FRANCE
Amis de la Terre
62 bis, rue des Peupliers
92100 BOULOGNE
Tél. 33 1 49 10 04 47

BELGIQUE
Amis de la Terre
Place de la Vingeanne
5158 DAVE
Tél. 32 81 40 14 78

CANADA
Amis de la Terre
455, rue St-François-Xavier
Montréal H2Y 3J2 (Québec)
Tél. 1 514 843 85 85

Origine des illustrations:

Toutes les photos, y compris celle de couverture, sont de Laurence Fordyce, sauf les suivantes: pages 6, 11 (en bas): Robert Estall Photos; pages 12, 13, 14: Peter Newark's Pictures; page 41: Oxford Scientific Films/Tony Martin; pages 24, 25: John Edwards, page 35: Alain Le Garsmeur/Tony Stone Worldwide. La carte de la page 5 est de Peter Bull Design. Les éléments graphiques des pages 7, 37 et 43 ont été fournis par John Yates.

INDEX

Les chiffres en **gras** renvoient à une illustration.